PAS DE PANIQUE !

Quentin Blake

PAS DE PANIQUE !

GALLIMARD JEUNESSE

À Loopy et Corky

Il était une fois, pas très loin d'ici, cinq amis.

Ils s'appelaient :

Zelda,

Max,

Simona,

Mario

et Éric.

Ils étaient tous fantastiques.

Zelda pouvait voir un moineau
perché au sommet d'une statue
à huit kilomètres de distance.

Elle était épatante.

Max était capable
de l'entendre éternuer.

Il était incroyable.

Simona et Mario étaient tellement costauds qu'ils pouvaient soulever n'importe quoi.
Ils étaient stupéfiants.

Éric était lui aussi formidable, mais on saura pourquoi un peu plus tard.

Ce jour-là, ils partirent en excursion
à bord de leur sympathique car jaune.

C'est le Grand Eddie qui conduisait.

Ils arrivèrent bientôt
à la campagne.

Zelda vit un chien de berger
assis sur un muret
très, très, loin.

Max l'entendit
aboyer.

OUAF
OUAF

Simona et Mario soulevèrent Éric pour qu'il puisse admirer le paysage par le toit ouvrant du car.

– Eu… euh, dit Éric.

Ils poursuivirent leur route qui serpentait
dans les collines jusqu'à trouver
l'endroit idéal pour pique-niquer.

Ils avaient emporté des sandwichs
à la banane, des sandwichs œuf-tomate
et des sandwichs fromage et cornichons.

– J'adore les sandwichs
à la banane !
s'exclama Zelda.

– Moi, je préfère les sandwichs
fromage et cornichons,
déclara Max.

– Miam ! renchérit Simona.

– Je pourrais en manger dix de chaque, se vanta Mario.

– Eu… euh… dit Éric.

Mais tandis qu'ils se reposaient
après leur copieux repas,
le Grand Eddie balbutia :
– Je me sens tout chose…

Après quoi, il devint vert.

Puis blanc.

Et finit tout bonnement par s'évanouir.
– POF !

– Ce sont peut-être les sandwichs, suggéra Mario.

– Pauvre Eddie, se lamenta Simona.

– J'entends les battements de son cœur ! annonça Max.

– Il faut l'emmener à l'hôpital, proposa Zelda.

– Eu… euh, dit Éric.

Et ils se mirent en route pour chercher de l'aide.

Ils marchèrent longtemps.

Puis Zelda s'écria :
– Je vois des gens !

Et Max ajouta :
– Et moi, je les entends parler. Je crois qu'ils pourront nous aider.

Mais soudain, ils furent arrêtés
par une rivière.

– Qu'allons-nous faire maintenant ?
s'inquiéta Zelda.

C’est alors qu’Éric s’approcha de la berge.
– Eu… euh… commença-t-il,

À L'AID

E!

En moins de temps qu'il ne faut pour le dire,

Zelda le vit arriver…

Max l'entendit…

Et il était là…

L'HÉLICOPTÈRE DES SECOURS !

Zelda, Max, Éric, Simona, Mario
et le Grand Eddie furent hissés
à bord confortablement.

Le lendemain, ils rendirent visite au Grand Eddie à l'hôpital.

Il se sentait beaucoup mieux.

– Quel sauvetage, mes amis ! Je ne sais pas ce que j'aurais fait sans vous, s'écria-t-il.

Et Éric dit :

– Eu… euh…

Pas de panique avec les Cinq Fantastiques !

Traduction de Catherine Gibert

ISBN : 978-2-07-066089-6
Titre original : *The Five of us*
Publié pour la première fois,
par délégation de Tate Trustees,
par Tate Publishing, une division de Tate Entreprises,
Millbank, Londres SW1P 4RG

Numéro d'édition : 266850
Loi n° 49-956 du 16 juillet 1949
sur les publications destinées à la jeunesse
Dépôt légal : septembre 2015
Imprimé en Chine

Maquette : David Alazraki